JEUNESSE

Une bien curieuse factrice

De la même auteure chez Québec Amérique

Jeunesse

SÉRIE CHARLOTTE
La Nouvelle Maîtresse, coll. Bilbo, 1994.
La Mystérieuse Bibliothécaire, coll. Bilbo, 1997.
Une bien curieuse factrice, coll. Bilbo, 1999.
Une drôle de ministre, coll. Bilbo, 2001.

SÉRIE ALEXIS
Marie la chipie, coll. Bilbo, 1997.
Valentine Picotée, coll. Bilbo, 1998.
Toto la brute, coll. Bilbo, 1998.
Roméo Lebeau, coll. Bilbo, 1999.
Léon Maigrichon, coll. Bilbo, 2000.

SÉRIE MARIE-LUNE
Les Grands sapins ne meurent pas, coll. Titan, 1993.
Ils dansent dans la tempête, coll. Titan, 1994.
Un hiver de tourmente, coll. Titan, 1998.

Maïna – Tome I, L'Appel des loups, coll. Titan+, 1997.
Maïna – Tome II, Au pays de Natak, coll. Titan+, 1997.
Ta voix dans la nuit, coll. Titan, 2001.

Adulte
Du Petit Poucet au dernier des raisins, coll. Explorations, 1994.
La Bibliothèque des enfants, Des trésors pour les 0 à 9 ans,
coll. Explorations, 1995.
Maïna, coll. Tous Continents, 1997.
Marie-Tempête, coll. Tous Continents, 1997.
Le Pari, coll. Tous Continents, 1999.

Une bien curieuse factrice

DOMINIQUE DEMERS

QUÉBEC AMÉRIQUE jeunesse

Données de catalogage avant publication (Canada)

Demers, Dominique
Une bien curieuse factrice
(Bilbo jeunesse ; 85)
ISBN 2-89037-997-3
I. Titre. II. Collection.
PS8557.E468B53 1999   jC843'.54   C99-941101-2
PS9557.E468B53 1999
PZ23.D45Bi 1999

Nous reconnaissons l'aide financière du gouvernement du Canada par l'entremise du Programme d'aide au développement de l'industrie de l'édition (PADIÉ) pour nos activités d'édition.

Gouvernement du Québec – Programme de crédit d'impôt pour l'édition de livres – Gestion SODEC.

Les Éditions Québec Amérique bénéficient du programme de subvention globale du Conseil des Arts du Canada. Elles tiennent également à remercier la SODEC pour son appui financier.

Québec Amérique
329, rue de la Commune Ouest, 3ᵉ étage
Montréal (Québec) H2Y 2E1
Téléphone : (514) 499-3000, télécopieur : (514) 499-3010

Dépôt légal : 3ᵉ trimestre 1999
Bibliothèque nationale du Québec
Bibliothèque nationale du Canada

Révision linguistique : Diane Martin
Mise en pages : Andréa Joseph [PageXpress]
Réimpression : avril 2004

À Mariko Dussault-Brodeur

Charlotte est une vieille dame un peu étrange qui a pour amie... un caillou nommé Gertrude. Charlotte ne fait jamais rien comme tout le monde. Dans *La Nouvelle Maîtresse*, elle enseigne à ses élèves à mesurer les murs de la classe avec des spaghettis. On la retrouve également dans *La Mystérieuse Bibliothécaire*, où elle range les livres par couleur. Les rouges ensemble, les verts ailleurs!

Et la voilà devenue factrice! Une factrice un peu trop curieuse...

-1-

Bienvenue à Saint-Machinchouin

— **V**ous êtes congédiée! hurla monsieur Bouillon.

Mademoiselle Charlotte n'y comprenait rien. Pourquoi monsieur Bouillon était-il si fâché? Il l'avait engagée pour inventer des nouilles et c'est exactement ce qu'elle avait fait.

Dès le premier jour, mademoiselle Charlotte avait créé une nouveauté pour l'usine de soupe de Barnabé Bouillon : des nouilles noires en forme de vers de terre.

Ce vieil hippopotame de Bouillon n'avait pas apprécié. Il avait même piqué une de ces colères !

—Comment voulez-vous que je vende ça? avait-il beuglé.

Mademoiselle Charlotte était pourtant persuadée que les enfants auraient apprécié.

—Je ne veux plus de nouilles dégoûtantes! avait averti monsieur Bouillon. Sinon, je vous flanque à la porte.

Mademoiselle Charlotte avait donc travaillé jour et nuit à concevoir des nouilles rigolotes. Des nouilles qui permettraient aux consommateurs d'oublier que les soupes de monsieur Bouillon ne goûtaient pas bon du tout.

—Dehors! Vous êtes congédiée! hurla de nouveau monsieur Bouillon.

—Mais… pourquoi? demanda mademoiselle Charlotte.

Monsieur Bouillon grognait, soufflait, grondait comme un vieux dragon. Son visage avait la couleur d'une soupe aux tomates.

—Des... des nouilles... gé...
géantes ! hoqueta-t-il furieux.

—Il suffit de les plier en quatre
pour les faire entrer dans vos boîtes
de conserve, plaida mademoiselle
Charlotte.

—Et... et des nouilles... gon...
gonflables ! explosa monsieur
Bouillon.

—Elles sont enfermées dans un
petit sachet qui flotte sur le bouillon. Et elles gonflent seulement à la
chaleur.

—Elles gonflent tellement
qu'elles font déborder les casseroles,
l'interrompit le patron.

« C'est aussi bien, songea mademoiselle Charlotte. Vos bouillons
goûtent le jus d'orteil ! »

Heureusement, elle ne le dit pas
à haute voix. La rage de monsieur
Bouillon aurait pris de telles propor-
tions que son usine aurait sûrement
explosé. Ce qui n'aurait pas été une

catastrophe pour l'humanité...

— Ramassez vos affaires et disparaissez ! gueula monsieur Bouillon avant de tourner les talons.

Mademoiselle Charlotte n'avait rien à ramasser. Elle défripa sa longue robe bleue, rajusta son étrange chapeau et poussa un énorme soupir en songeant à sa chère amie Gertrude.

— J'aurais bien aimé que tu sois là, ma belle coquelicotte, murmura-t-elle doucement.

▲　▲　▲

En route vers le terminus d'autobus, mademoiselle Charlotte compta l'argent dans sa poche : vingt-trois dollars et trente-six sous !

— Un billet pour quelle destination ? lui demanda la guichetière.

— Un billet pour vingt-trois dollars et trente-six sous, répondit mademoiselle Charlotte.

Deux heures et quatorze minutes plus tard, le chauffeur la fit descendre. Son billet la menait là : au beau milieu d'une route déserte !

Mademoiselle Charlotte descendit quand même d'un pas joyeux. Elle adorait les nouvelles aventures.

—Il y a sûrement un emploi pour moi pas trop loin d'ici, dit-elle pendant que l'autobus repartait.

Elle aperçut alors une pancarte au loin. Elle s'approcha et lut : *Bienvenue à Saint-Machinchouin.*

—Quel joli nom ! Ça s'annonce bien, décida mademoiselle Charlotte.

-2-

Une vraie scène
de cinéma!

Mille deux cent quatre-vingt-quatorze... Mille deux cent quatre-vingt...

Clac !

Léonie arrêta brusquement de compter. Sa mère venait de refermer la porte d'entrée. Trente secondes plus tard, la voiture démarrait.

—Youpiiii !!! cria Léonie en bondissant hors du lit.

Une journée de liberté ! Sans prof ni parent. Elle devrait seulement se souvenir d'avoir l'air un peu mourante lorsque sa mère téléphonerait pour prendre des nouvelles pendant la journée.

Léonie descendit l'escalier et entreprit la préparation de son déjeuner en vidant d'un coup les restes de son sac d'Halloween sur le plancher.

—Chips à la pizza, bouchées au caramel fondant, réglisse au raisin et gomme à la limette... Rien de mieux pour la santé! décida Léonie en plongeant sous les couvertures avec son repas.

Au même moment, un bruit épouvantable lui écorcha les oreilles. Quelqu'un chantait à tue-tête dans la rue. Et ce quelqu'un chantait extrêmement fort et extrêmement faux.

Léonie courut à la fenêtre. Elle fut alors le témoin d'un spectacle hallucinant. Une vraie scène de cinéma!

Une espèce de grande asperge en robe bleue avec un chapeau d'Halloween sur la tête avançait dans la rue à pas énergiques en s'égosillant. Comme elle se rapprochait de monsieur Laposte, le facteur, celui-ci, alerté par le vacarme, se retourna... exactement au pire moment.

— Attention aux billes! lui cria Léonie.

Malheureusement, monsieur Laposte ne pouvait pas l'entendre. Il posa donc un pied, puis l'autre, sur les douze billes que Julien Leclerc, le petit monstre de voisin, avait laissé traîner sur le pavé. Les jambes du facteur se mirent à pédaler à toute vitesse puis elles s'écartèrent dangereusement. Quelques secondes plus tard, le pauvre homme était étendu dans la rue et il ne bougeait plus.

-3-

Une factrice…
bien curieuse

Je suis une vraie factrice! répé-
— tait joyeusement mademoiselle Charlotte en tapotant sa
grosse sacoche remplie d'enveloppes.

Deux heures après l'accident, elle
était encore étourdie par la série
d'événements. Heureusement que
Léonie avait été là. C'est elle qui avait
composé le 9-1-1. C'est elle aussi qui
avait suggéré à mademoiselle Charlotte d'offrir ses services au bureau
d'emploi. Le pauvre monsieur Laposte
avait une jambe dans le plâtre.

Comme bien d'autres citoyens de
Saint-Machinchouin, madame Lamarmaille fut un peu surprise lorsque
la nouvelle factrice sonna à sa porte.

Tous les facteurs qu'elle avait connus se contentaient de déposer le courrier dans la boîte aux lettres.

Au moment où madame Lamarmaille ouvrit la porte, sa fille Célestine poussa un hurlement atroce parce que Frédéric avait barbouillé son dessin. Mathieu en profita pour renverser son bol de spaghettis et le bébé s'éveilla en beuglant. Juliette oublia alors son petit pot et fit pipi dans sa culotte.

— Chouette, des enfants ! s'écria mademoiselle Charlotte, absolument ravie.

En deux temps, trois mouvements, elle prit la situation en main. Trente minutes plus tard, il n'y avait plus aucune trace de dégât et tous les enfants étaient d'excellente humeur.

« J'espère qu'elle reviendra demain même si je n'ai pas de lettre », souhaita madame Lamarmaille.

Monsieur Laposte achevait habituellement la distribution du courrier à quatorze heures cinquante. Or, il faisait presque nuit quand mademoiselle Charlotte livra sa dernière enveloppe.

Elle avait rencontré de nombreux citoyens, certains charmants, d'autres mal élevés. Mademoiselle Becsec lui avait claqué la porte au nez, mais, dans la maison juste à côté, monsieur Tremblay l'avait régalée d'un gros morceau de tarte à la citrouille garni de crème fouettée.

Mademoiselle Charlotte poussa un soupir en contemplant sa sacoche vide. Elle n'était pas du tout déçue de sa journée. Même qu'elle adorait son nouveau métier.

Mais elle avait un regret...

Toutes ces lettres qu'elle avait livrées étaient restées totalement mystérieuses. Or, mademoiselle Charlotte était très curieuse. Pendant toute la journée, elle avait eu terriblement envie d'ouvrir une enveloppe pour voir ce qu'il y avait dedans.

Mais, bien sûr, c'était défendu...

-4-

Pauvre
Jérome Gigolo!

L e lendemain, Léonie simula tour à tour une crise d'appendicite, une rage de dents, une otite galopante et même un arrêt cardiaque, mais sa mère fut sans pitié.

« Ouste ! À l'école ! » avait-elle tranché.

Ce jour-là, au lieu de lambiner avec Louis Labine après l'école, Léonie fila droit à la maison. Elle avait très hâte de revoir la nouvelle factrice. Elle changea vite de vêtements, enfourna en deux bouchées un immense croissant au chocolat, attrapa sa planche à roulettes et partit à la recherche de mademoiselle Charlotte.

—Sac à puces! s'exclama Léonie en découvrant la nouvelle factrice assise au bord du trottoir à quelques rues de là.

Léonie descendit de sa planche à roulettes et avança sans faire de bruit. En entendant ce qu'elle entendit, elle faillit se rouler par terre en hurlant de rire.

L'extraordinaire factrice parlait... à des cailloux!

—Eh oui! Factrice! racontait-elle avec fierté. C'est un super métier. On marche, on rencontre des gens, on livre toutes sortes d'enveloppes. Le seul désavantage... ce qui m'embête... je peux bien l'avouer : je meurs d'envie d'ouvrir une lettre! Oh! Juste une, rien que pour voir ce qu'il y a dedans. Après, je la recollerais.

La factrice se releva en poussant un énorme soupir et Léonie la suivit, de plus en plus intéressée.

Mademoiselle Charlotte passa devant la maison de monsieur Cinglé sans s'arrêter.

« C'est pas étonnant, pensa Léonie. Qui donc voudrait écrire à ce vieux gribou ? »

En effet ! Monsieur Cinglé, qui était arrivé à Saint-Machinchouin quelques mois plus tôt, ne parlait à personne et ne sortait jamais. Ce vieil épouvantail semblait détester tout ce qui bouge : chats, chiens, moineaux, humains...

Mademoiselle Charlotte s'arrêta soudain. Elle jeta un coup d'œil à gauche, puis à droite, et, croyant qu'elle était seule, elle plongea la main dans son sac et pigea une lettre.

Elle l'inspecta d'abord attentivement, hésita un moment, eut un geste pour remettre la lettre dans sa sacoche, puis brusquement elle changea de nouveau d'idée et entreprit de décacheter l'enveloppe.

—Ça alors! se dit Léonie. Une factrice qui ouvre le courrier des gens! J'aurai tout vu!

Mademoiselle Charlotte était tellement absorbée par sa tâche qu'elle n'entendit pas Léonie approcher pour regarder par-dessus son épaule.

L'enveloppe contenait une contravention! De cent cinquante dollars!

Jérome Gigolo, le fils de la pâtissière, avait encore conduit comme un excité, frôlant les lampadaires en effectuant des virages sur les chapeaux de roue.

—Oh! Pauvre monsieur Gigolo. Je ne peux pas lui livrer ça! s'exclama tout haut mademoiselle Charlotte en lisant la contravention.

Elle s'apprêtait à la déchirer lorsque Léonie poussa un cri.

—Non! Vous n'avez pas le droit.

La pauvre mademoiselle Charlotte eut la peur de sa vie en découvrant Léonie.

—Vous n'avez pas le droit, madame... euh... mademoiselle. En plus, Jérome Gigolo l'a bien méritée.

Léonie expliqua comment ce grand nigaud effrayait tout le monde avec ses excès de vitesse. Pour convaincre la factrice que la contravention était parfaitement méritée, elle ajouta un détail d'importance :

—Il a même écrasé mon chat.

—Quoi! s'écria mademoiselle Charlotte, horrifiée.

C'est ainsi que Léonie et mademoiselle Charlotte devinrent complices. Léonie courut chercher un stylo et de la colle et, ensemble, elles ajoutèrent un beau gros zéro à la contravention.

—Mille cinq cents dollars! dit fièrement Léonie pendant que mademoiselle Charlotte recollait l'enveloppe. Ça devrait lui guérir l'envie d'écraser les chats. N'est-ce pas?

Mademoiselle Charlotte réfléchit.

—À moins qu'on ajoute encore un zéro? suggéra-t-elle.

—Non, trancha Léonie. Ce serait... un peu trop.

La petite fille observa mademoiselle Charlotte pendant que cette dernière remettait l'enveloppe dans sa sacoche puis époussetait sa longue robe bleue.

La nouvelle factrice était décidément bien étrange. Peut-être même était-elle complètement folle! Mais Léonie sentait qu'elle pourrait devenir sa meilleure amie.

-5-

Les cheveux
de Peter Power

Tous les jours, mademoiselle Charlotte et Léonie ouvraient une lettre. Juste une, jamais plus. Même si le bout de leurs doigts leur démangeait! Elles se donnaient rendez-vous le matin au casse-croûte La Poutine ou après l'école dans la rue de madame Lamarmaille.

Mademoiselle Charlotte adorait raconter des histoires aux enfants Lamarmaille. Des histoires d'aigles géants portant des enfants sur leurs ailes ou d'éléphants gigantesques munis de trompes où l'on pouvait pénétrer comme dans un tunnel. Des histoires d'autres planètes aussi, où les habitants avaient un corps d'orang-outan et un écran d'ordinateur au lieu d'une tête. Ils communiquaient entre eux en émettant des parfums et vivaient des aventures amoureuses extraordinaires...

La deuxième lettre qu'ouvrirent en cachette Léonie et mademoiselle Charlotte était adressée à Marilyn Marsouin.

—Je la connais! dit Léonie qui avait pourtant pigé dans la sacoche sans regarder.

Deux mois plus tôt, Marilyn avait expédié une longue lettre d'amour à Peter Power, chanteur-vedette des Magic Monsters. Et voilà qu'elle recevait une vulgaire réponse photocopiée. Sans même un autographe!

Mademoiselle Charlotte et Léonie échangèrent un regard navré et, à la même seconde, elles eurent la même idée. Léonie prit un stylo et du papier dans son sac d'école. Ensemble, elles rédigèrent une lettre vraiment chouette.

Au moment de signer, Léonie dessina un gribouillis.

—Tous les gens célèbres ont à peu près cette signature, expliqua-t-elle à mademoiselle Charlotte.

Pour faire plaisir à Marilyn, Léonie ajouta une mèche de cheveux d'un des enfants Lamarmaille. Ils avaient exactement la même teinte que ceux de Peter Power.

Le lendemain, Marilyn Marsouin fit fureur à l'école en montrant la lettre du célèbre chanteur des Magic Monsters et la précieuse mèche de cheveux. Même que Josée Joubert lui offrit dix dollars pour le petit paquet de poils et, pendant quelques instants, Léonie songea qu'elle devrait peut-être se lancer en affaires.

La troisième lettre fut également détruite et remplacée par une autre. C'était une lettre odieuse adressée à monsieur Tremblay et signée par mademoiselle Becsec, sa voisine, qui le

traitait de vieille ratatouille et menaçait d'embrocher son lapin nain si
l'animal venait encore fouiner dans sa
cour.

— La vieille chipie! s'indigna
Léonie.

Mademoiselle Charlotte ne dit
rien. Elle songeait à ce cher monsieur Tremblay qui lui avait déjà fait
goûter à sa tarte à la citrouille, à son
gâteau au sucre à la crème et à sa
confiture de mûres. Monsieur Tremblay avait de grands yeux doux et un
sourire de velours.

— J'ai une idée! s'écria Léonie.
Pour ne pas inquiéter monsieur
Tremblay, nous allons déchirer la
lettre de sa voisine. Après, on fera
trembler cette vieille vipère avec un
message anonyme épeurant.

Mademoiselle Charlotte continuait de réfléchir pendant que Léonie
s'enthousiasmait:

—Oui! Et en plus, on laissera un sac plein de crottes sur son perron! C'est facile : on n'a qu'à prendre une couche du bébé de madame Lamarmaille. Ça va? On le fait?

Mademoiselle Charlotte avait les yeux vagues. On aurait dit qu'elle revenait de très très loin.

—Non, répondit-elle calmement.

Puis elle ajouta d'une voix grave :

—Ce n'est pas notre mission.

—Notre *mission*? répéta Léonie, complètement perdue.

—Notre mission, expliqua tranquillement mademoiselle Charlotte, c'est d'ajouter du bon. Si on réécrit une lettre, il faut que ce soit pour améliorer une situation ou rendre quelqu'un plus heureux.

Léonie se sentit soudain un cœur de chevalier. Présentée ainsi, cette fameuse mission lui plaisait. Elles écrivirent donc :

Cher monsieur Tremblay,

J'ai l'air d'une vieille chipie, mais je ne suis pas si méchante au fond. Vous êtes un excellent voisin, mais j'ai horreur de votre lapin nain. Pourriez-vous l'empêcher de venir dans ma cour?

Léonie imita la signature de mademoiselle Becsec et la nouvelle factrice se chargea de livrer la lettre à monsieur Tremblay.

Ni l'une ni l'autre ne se doutait de ce qui allait arriver.

Au moment où Timothée Tremblay lui ouvrit, mademoiselle Charlotte fut secouée par un grand frisson. Elle eut soudain très peur d'avoir contracté une grave maladie ou attrapé un vilain virus. Ses mains étaient moites, sa gorge sèche, et on aurait dit qu'un troupeau de diplodocus couraient dans sa poitrine tellement son cœur battait vite et fort.

—Bonjour... commença monsieur Tremblay.

Il allait dire « Bonjour, ma très chère mademoiselle Charlotte », mais il ne put terminer sa phrase.

Mademoiselle Charlotte s'était écroulée sur le perron.

-6-

Tendres
confidences

— **E**nfin! murmura Timothée Tremblay lorsque la nouvelle factrice ouvrit les yeux.

Mademoiselle Charlotte fut émue en découvrant monsieur Tremblay à ses côtés. Elle rougit et tenta de se relever.

—Non! Je vous défends de bouger de ce divan, interdit gentiment Timothée Tremblay en tendant à la factrice une grande tasse de chocolat chaud garnie de guimauves fondantes.

Mademoiselle Charlotte, qui était gourmande, avait déjà l'eau à la bouche.

—Suis-je malade ? s'inquiéta-t-elle quand même.

—Je ne crois pas, répondit Timothée d'une voix réconfortante. Un petit malaise, c'est tout. Je m'y connais : j'ai déjà été infirmier.

—Oh ! fit mademoiselle Charlotte, impressionnée.

Elle but son chocolat très lentement, car elle n'avait pas du tout envie de repartir.

Ils discutèrent d'un tas de choses. De ce qui les passionnait et de ce dont ils avaient peur, de ce qui faisait danser leur cœur et leur donnait des ailes. Ils se confièrent des rêves secrets et des désirs complètement fous.

Timothée parla aussi de Théodore, son raton laveur, qui était mort l'année précédente.

—Il dormait dans mon lit, sur un oreiller, dit Timothée.

Charlotte parla de Gertrude, sa douce amie, qu'elle avait confiée à des enfants dans un village où elle avait été bibliothécaire.

Timothée ne parut même pas surpris en apprenant que Gertrude était une roche.

—Un petit caillou? De quelle couleur? demanda-t-il seulement.

La nouvelle factrice aurait souhaité que cet après-midi dure toujours. Mais le ciel était déjà sombre et il restait du courrier à distribuer. Au moment de dire au revoir à son cher ami, mademoiselle Charlotte se souvint soudain du but de sa visite. Elle remit donc à Timothée la lettre de mademoiselle Becsec.

Enfin, la nouvelle lettre...

-7-

Mille millions
de mystères!

Mademoiselle Becsec n'y comprenait rien. Au lieu de lui lancer des œufs pourris, monsieur Tremblay lui avait apporté de délicieuses tartelettes aux bleuets après avoir lu sa lettre. Il avait également fait construire une clôture autour de son jardin pour empêcher son lapin nain d'aller fouiner plus loin.

Bécassine Becsec n'était pas la seule citoyenne à se gratter la tête et à se poser des questions. Depuis quelque temps, les mystères se multipliaient à un rythme hallucinant.

Jérome Gigolo avait pleuré comme un bébé dans le bureau des

policiers en brandissant une contravention d'un montant extravagant.
Et madame Laverdure, qui avait tant
de dettes qu'elle n'arrivait plus à
payer son loyer, avait reçu cette
curieuse lettre :

Chère madame Laverdure,

La banque a fait une erreur. Veuillez encaisser deux cents dollars.

Votre très dévoué,

La signature était parfaitement
illisible. Un véritable gribouillis!
Mais ce vilain pâté d'encre ressem-
blait justement à la signature du
gérant de la banque. Le pauvre rugit
et lança des injures, mais il dut
quand même émettre un chèque de
deux cents dollars à Laura Laverdure.

Quant à Mérédith Michaud, qui avait battu tous les records de retenues à l'école primaire, elle attendait encore que le ciel lui tombe sur la tête : elle avait clairement vu son institutrice, mademoiselle Laberlu, rédiger un avertissement très inquiétant à ses parents. Il y était question des derniers tours que Mérédith avait joués à Guillaume Guillou, la pire plaie de la planète.

« Ça y est, c'est pour aujourd'hui. Mon père va me couper en dés et ma mère va m'achever au micro-ondes », se disait Mérédith tous les après-midi en revenant de l'école. Pourtant, il n'arrivait rien...

Léonie n'avait jamais été de meilleure humeur. Sa mère, ses amis, son professeur, tout le monde avait noté son extraordinaire gaieté. Elle prenait grand plaisir à assister secrètement mademoiselle Charlotte dans ses fonctions... particulières.

De jour en jour, la livraison du courrier prenait plus de temps, car mademoiselle Charlotte sonnait à chaque porte, qu'il y ait ou non une lettre à livrer.

Tous les enfants lui réclamaient maintenant des histoires. Et depuis que Timothée lui avait appris à faire des biscuits, elle s'amusait à en inventer avec des formes bizarres et des couleurs jamais vues. Les enfants en étaient fous.

Il y avait bien une ombre au tableau : la nouvelle factrice chantait toujours aussi fort et aussi faux. Des citoyens songèrent à lui offrir des cours de chant, mais ils craignaient trop de la froisser.

Léonie et mademoiselle Charlotte continuèrent donc d'ouvrir une enveloppe par jour. Juste une. Jamais plus. Or, le vingt et unième jour, elles tombèrent sur une lettre extraordinaire. Une lettre qui changea leur vie !

-8-

Charlotte est a_ _ _ _ _ _ _ e !

L'enveloppe était barbouillée de rayures et de flèches. Elle avait d'abord été expédiée à une certaine Maximilienne D'Amour au 55, chemin de la Mer, à Port-au-Pistou. Mais elle n'avait jamais été ouverte. Quelqu'un avait dessiné une flèche pointant vers le coin gauche, en haut, afin que l'enveloppe soit retournée à l'expéditeur : Simon Cinglé.

—Quelle affaire ! résuma Léonie en décollant délicatement l'enveloppe.

Mademoiselle Charlotte et sa jeune amie lurent ensemble le message que Simon Cinglé avait adressé à Maximilienne D'Amour.

C'était une lettre d'amour. Une lettre d'amour flamboyante et passionnée.

Pour bien comprendre, il faut savoir que ce vieux gribou de Simon Cinglé était tombé follement amoureux d'une certaine Maximilienne D'Amour lorsqu'il avait douze ans. C'était il y a exactement... cinquante-huit ans! Ils s'étaient fiancés à dix-huit ans mais, la veille de leur mariage, Simon Cinglé et Maximilienne D'Amour s'étaient disputés.

Une chicane monstre! Simon avait mentionné à Maximilienne qu'il avait l'habitude de dormir du côté gauche du lit. Maximilienne, ébranlée, avait fait valoir qu'elle aussi dormait de ce côté.

Alors, ils s'étaient mis à argumenter. Pendant des heures et des heures. Ni l'un ni l'autre ne voulait céder. Ni l'un ni l'autre ne voulait changer de côté. Finalement, Simon était parti en claquant la porte et Maximilienne l'avait traité de mal élevé.

Au bout d'un mois, ils ne s'étaient toujours pas reparlé. Simon attendait des excuses de sa fiancée et Maximilienne était persuadée que c'était à Simon de se faire pardonner. Ils ne s'inquiétaient même plus de dormir d'un côté ou de l'autre du lit. Ils étaient tous les deux tristes et blessés.

Au bout d'un an, Simon avait quitté Port-au-Pistou. Il n'en pouvait plus de croiser Maximilienne partout.

Simon devint malcommode et grincheux. Il prit l'habitude de déménager tous les ans. Où qu'il aille, il était malheureux. Il changea de maison et de ville cinquante-huit fois!

Un jour, alors qu'il regardait distraitement une annonce de matelas à

la télévision, Simon se souvint tout
à coup, comme en un éclair, de l'ori-
gine de sa chicane avec sa belle fiancée.

Il comprit alors qu'il avait fait
une gaffe gigantesque.

—Espèce de patate! Grosse an-
douille! se mit-il à crier.

Simon Cinglé était furieux contre
lui-même. Enragé contre sa propre
personne. Mais, soudain, une lueur
d'espoir brilla.

«Il n'est peut-être pas trop tard,
songea-t-il. Maximilienne n'est
peut-être pas mariée...»

Simon se sentait de nouveau
inondé d'amour. Il écrivit une très
très belle lettre à Maximilienne.
L'amour lui faisait trouver des mots
neufs. On aurait dit que des phrases
magiques coulaient de sa plume.

Mademoiselle Charlotte et Léonie
le sentirent en lisant sa lettre. Les
mots de Simon, les phrases de Simon,

sa façon de dire son émotion ébran-
lèrent les deux curieuses.

—Quel dommage! soupira
Léonie. Maximilienne D'Amour a
sûrement déménagé. Pauvre Simon
Cinglé! C'est trop triste... N'est-ce
pas mademoiselle Charlotte?

La nouvelle factrice était pâle
comme un fantôme. Ses lèvres tremblaient, elle avait du mal à respirer et
son cœur cognait tellement fort qu'il
semblait vouloir sortir de son corps.

—Mademoiselle Charlotte! cria
Léonie en se précipitant vers son
amie.

Elle attrapa la factrice juste à
temps. Deux secondes de plus, et la
pauvre s'écroulait sur le pavé.

—Êtes-vous malade? Assoyez-
vous... Reposez-vous... la pressa
Léonie, très inquiète.

Mademoiselle Charlotte était-elle
victime d'un vilain virus? Ou d'une
attaque atroce?

En l'observant attentivement, Léonie eut soudain des doutes. Elle demanda alors à mademoiselle Charlotte de lui décrire ce qu'elle ressentait.

—C'est bien ce que je pensais ! déclara Léonie, triomphante.

—Vais-je mourir ? demanda mademoiselle Charlotte d'une petite voix de souris.

Léonie éclata de rire. Elle avait eu un malaise semblable l'année précédente. Quand Louis Lenjoleur était venu frapper à la porte pour vendre des chocolats. Léonie avait acheté toute la caisse. Et pourtant, elle était allergique au chocolat.

—Je crois que vous êtes amoureuse, annonça doucement Léonie à mademoiselle Charlotte.

-9-

Je vous a_ _ _ .

Heureusement, le lendemain était un samedi. Sinon, les citoyens de Saint-Machin-chouin auraient attendu leur courrier pour rien. Mademoiselle Charlotte s'était éveillée à l'aube. Son cœur menaçait d'exploser. Elle avait décidé d'écrire une lettre à Timothée. Une lettre encore plus belle que celle de Simon Cinglé.

Elle prit sa meilleure plume, son plus beau papier, et elle écrivit :

Cher Timothée,

Après ? Rien ! Elle était incapable de poursuivre. On aurait dit que tous les mots fuyaient !

Cela dura longtemps. Très long-temps. C'était vraiment découra-geant.

Et puis soudain, ce fut la bouscu-lade. Comme si tous les mots vou-laient sortir en même temps. Mais ils surgissaient sans ordre, n'importe comment. Mademoiselle Charlotte écrivit des phrases et des phrases et des phrases et des phrases...

Toutes décevantes.

Pendant deux jours, elle bar-bouilla, corrigea, effaça et chiffonna du papier. À la fin, elle était crevée. Sa corbeille était pleine, et son déses-poir, entier.

Alors, au moment où elle n'y croyait plus, une petite phrase – une petite phrase parfaite ! – apparut.

Cher Timothée,

Je suis très heureuse que vous existiez.

En relisant ces mots, mademoi-selle Charlotte se mit à respirer mieux. Les mots disaient bien ce qu'elle ressentait. C'étaient des mots pleins de force et de sens.

Alors elle écrivit d'une traite, sans s'arrêter :

Vous êtes beau comme un arc-en-ciel
Et vos gâteaux goûtent le soleil
J'aimerais que vous soyez la mer
Et moi la plage
Ou encore vous le vent
Et moi les nuages
Si j'étais magicienne
Je cueillerais cent étoiles
J'y accrocherais des comètes
J'en ferais un bouquet immense
Et je vous l'offrirais

Mademoiselle Charlotte lut son texte à haute voix. Les mots chantaient. C'était merveilleux !

Mais comment terminer ? Quoi dire ? Mademoiselle Charlotte eut peur de nouveau de ne pas trouver les mots. Alors, elle imagina

Timothée devant elle et des phrases fleurirent sous ses doigts, comme par enchantement.

Elle écrivit :

Depuis que je vous ai rencontré, plus rien n'est pareil.
Je pense... Je crois... NON...
J'en suis sûre.
Je vous aime.

À la fin, elle signa, en tremblant un peu :

Charlotte

-10-

Cher
Charles Chafouin

Le lendemain, pendant que Léonie déchirait la demande de divorce qu'Arthur André avait adressée à sa femme, mademoiselle Charlotte demanda soudain :

—De qui aimerais-tu le plus recevoir une lettre ?

Léonie réfléchit. Elle avait déjà reçu des cartes de souhaits par la poste et de nombreux messages par ordinateur. Mais une vraie lettre, jamais.

Léonie demeura longtemps silencieuse. Son regard se brouilla et peu à peu ses yeux s'emplirent d'eau.

Mademoiselle Charlotte le remarqua. Elle s'assit au bord du trottoir et invita Léonie à s'installer à côté.

Elles restèrent un bon moment sans parler. Puis, Léonie murmura :

— Une lettre de mon père... Ça me ferait beaucoup plaisir.

Léonie expliqua à son amie factrice que son père vivait en Californie. C'était un homme d'affaires très important. Il était directeur de secteur d'une immense compagnie d'ordinateurs. Charles Chafouin travaillait sans arrêt. Léonie le voyait seulement à Noël et quelques jours pendant les vacances d'été.

De temps en temps, Charles lui téléphonait. Entre chaque appel, Léonie songeait à une foule de choses importantes à lui dire. Mais, une fois au téléphone, elle oubliait tout, ou encore elle restait bloquée, elle manquait de courage ou elle était gênée. C'était toujours pareil : soudain, elle n'avait plus rien à raconter ! Alors, ils discutaient de ses notes à l'école, du temps qu'il faisait ou de ce qu'elle avait mangé pour dîner. Au moment de raccrocher, Léonie se sentait triste et terriblement déçue.

Mademoiselle Charlotte écouta Léonie très attentivement. À la fin, elle lui caressa doucement le bout du nez et demanda :

— Alors, c'est décidé ?

Léonie hocha la tête et sourit.

Oui, c'était décidé. Dès ce soir, elle écrirait une lettre à son père.

-11-

Noël en mai

Avant même que mademoiselle Charlotte appuie sur le bouton de la sonnette, la porte s'ouvrit et Timothée apparut, un bouquet de violettes à la main.

—Je vous attendais. Je vous ai vue... euh... arriver... C'est pour vous! dit-il en lui tendant les fleurs.

Un bouquet! C'était la première fois que mademoiselle Charlotte recevait des fleurs. Elle était tellement ravie, tellement étonnée, tellement émue aussi, qu'au lieu de remercier Timothée, elle se mit à prononcer des paroles insensées.

—Joyeux... Noël! bredouilla-t-elle, complètement confuse.

Timothée éclata de rire, car on était en mai. La pauvre factrice se reprit.

—Euh... Non. Pardon... Je voulais dire... Mes sympathies !

Mademoiselle Charlotte s'empêtrait dans des formules absurdes.

—Féli... Félicitations ! bégaya-t-elle encore.

Dans sa tête, les mots se bousculaient, se heurtaient et faisaient des culbutes. À bout de souffle et affreusement gênée, elle parvint finalement à dire :

—Merci !

Aussitôt, mademoiselle Charlotte voulut fuir pour mettre fin à l'impossible conversation. Elle tourna donc les talons, laissant le pauvre Timothée bouche bée.

Une fois la porte refermée derrière elle, mademoiselle Charlotte se souvint de la lettre dans sa poche. Il n'était plus question de sonner. Elle ouvrit la boîte aux lettres et y glissa l'enveloppe.

▲ ▲ ▲

Au même moment, mademoiselle Becsec décolla son nez de la fenêtre à carreaux.

—Une lettre pour Timothée... marmonna-t-elle d'un ton plein de soupçons.

Timothée recevait un chèque tous les jeudis et des factures le mercredi. Mais une lettre le lundi, ça, non, jamais.

La vieille chipie ouvrit la porte. Elle jeta un rapide coup d'œil à gauche. Puis à droite. Satisfaite, elle courut jusqu'à la maison de Timothée, plongea une main dans la boîte aux lettres, prit l'enveloppe et revint en quatrième vitesse.

Sitôt la porte refermée, elle lut la lettre que mademoiselle Charlotte avait mis tant d'heures et tant d'amour à écrire. Lorsqu'elle eut fini, Bécassine Becsec chiffonna la lettre, la lança par terre et la piétina furieusement.

— Grande nigaude ! Vieille girafe ! Espèce de factrice à la noix ! Ça ne se passera pas comme ça.

Depuis le jour où Timothée lui avait apporté des tartelettes aux bleuets en lui parlant d'une voix douce et chaude, Bécassine Becsec avait un plan bien arrêté.

Elle voulait épouser Timothée ! Et toutes les Charlotte du monde ne réussiraient pas à l'en empêcher.

Bécassine Becsec mit plusieurs heures à se calmer. Finalement, elle s'assit, recopia mot à mot la lettre de mademoiselle Charlotte sur une feuille propre et signa de son nom :

Bécassine Becsec

Elle glissa ensuite la lettre dans une enveloppe, la vaporisa de parfum et courut la déposer dans la boîte aux lettres de Timothée.

-12-

L'article 16
du code 3002

L e lendemain, Bécassine Becsec était prête. Heureusement, elle avait lu de nombreux romans de détectives et d'enquêtes. Elle se déguisa donc en vendeur de brosses à dents et espionna mademoiselle Charlotte pendant toute la journée.

C'est ainsi qu'à quinze heures vingt-trois, elle fut le témoin d'une scène capitale. Cachée derrière un arbre et munie de jumelles, elle vit la nouvelle factrice et sa jeune amie détruire la lettre d'injures que madame André avait adressée à son mari. Bécassine Becsec faillit pousser un cri lorsqu'en plus les deux complices la remplacèrent par une invitation à dîner au restaurant Les Amoureux. Elles ajoutèrent même une foule de petits bisous sous la signature de madame André !

À quinze heures trente-six, Bécassine Becsec fit une entrée fracassante dans le bureau de Bertrand Bougon, chef du service de police de Saint-Machinchouin. Elle décolla sa moustache, retira sa casquette et lança d'une voix indignée :

— Notre factrice est une imposteuse... euh... une impostrice... enfin... un imposteur quoi !

Deux heures plus tard, Bertrand Bougon était stupéfait. Sa brève enquête lui avait permis de découvrir que mademoiselle Charlotte tripotait le courrier des gens depuis déjà longtemps. La plupart des résidents de Saint-Machinchouin ne s'en plaignaient pas, mais Jérome Gigolo rêvait d'empailler la nouvelle factrice.

—Vous devez appliquer l'article 16 du code 3002! réclamait Bécassine Becsec, qui refusait de quitter les lieux.

Bertrand Bougon ne savait plus quoi faire. La vie était un peu ennuyeuse pour un policier à Saint-Machinchouin. Il n'y avait jamais eu de vol de banque, de demande de rançon ou de course folle dans les rues de la ville pour capturer un maniaque masqué. Et voilà qu'enfin il découvrait un peu d'action. Malheureusement, il aimait bien la nouvelle factrice. Il avait entendu ses histoires, goûté à ses biscuits, apprécié ses visites. Il n'avait pas du tout envie d'appliquer l'article 16 du code 3002!

▲ ▲ ▲

—C'est bon! Ça fait du bien! marmonna Léonie la bouche pleine.

Ce jour-là, mademoiselle Charlotte lui avait confié qu'elle n'en pouvait plus d'attendre une lettre de Timothée. Et Léonie avait sympathisé de tout cœur : elle-même avait expédié une lettre à son père par messagerie ultra-rapide et elle n'avait encore rien reçu en retour.

Pour se remonter le moral, elles avaient décidé de partager une grosse portion de la spécialité maison du casse-croûte La Poutine. Elles la dévoraient avec appétit lorsque Bertrand Bougon vint se planter devant leur table.

— Venez-vous nous arrêter ou partager notre poutine ? lui demanda la factrice à la blague.

Bertrand Bougon pâlit et récita à contrecœur l'article 16 du code 3002.

Mademoiselle Charlotte ne sembla pas du tout impressionnée. Elle demanda simplement, pour s'assurer d'avoir bien compris :

— Je dois donc payer une amende de trois cent trente-trois dollars et trente-trois sous ou passer neuf cent quatre-vingt-dix-neuf heures en prison ?

— C'est exact ! confirma Bertrand Bougon en s'épongeant le front.

Léonie avait du mal à retenir ses larmes. Elle savait déjà que son amie choisirait la prison. À cause de Simon Cinglé et de Maximilienne D'Amour...

Léonie et mademoiselle Charlotte avaient dépensé leurs dernières économies pour publier un avis de recherche dans tous les journaux du pays. Si Simon Cinglé avait lu les journaux, il aurait découvert ce texte imprimé en gros caractères :

Maximilienne mon amour,

Je t'aime comme un fou et je te cherche partout. Je t'en supplie : reviens. Je t'attends !

C'était, bien sûr, signé Simon Cinglé et suivi de l'adresse du vieux gribou.

—Je choisis la prison, annonça effectivement la factrice à Bertrand Bougon. Me permettez-vous quand même de finir ma poutine? ajouta-t-elle en souriant gentiment.

-13-

Derrière les barreaux

Tous les jours, Timothée Tremblay faisait cuire un plus gros gâteau. En principe, c'était pour son amie factrice, mais il savait bien qu'elle le partagerait avec tous ceux qui lui rendaient visite en prison. Ils étaient chaque jour plus nombreux.

Tout le monde s'ennuyait de mademoiselle Charlotte !

Timothée poussa un profond soupir. Cent fois déjà, il avait relu la lettre. Il avait toujours l'impression d'entendre mademoiselle Charlotte et son cœur galopait dans sa poitrine alors que les mots défilaient sous ses yeux. Mais, tout à la fin, le charme était rompu. Cette merveilleuse lettre d'amour ne portait pas la signature de sa belle amie Charlotte mais de son étrange voisine : Bécassine Becsec.

La veille, justement, Bécassine l'avait invité à dîner. Timothée avait accepté pour ne pas la blesser.

Or, à sa grande surprise, ils avaient passé une soirée délicieuse. Bécassine lui avait préparé son repas préféré : des nouilles à la crème gratinées. Elle paraissait transformée. Au lieu de ressembler à un colonel d'armée en colère, sa voisine rayonnait.

« Elle m'aime vraiment, conclut Timothée. Et moi, j'aime notre nouvelle factrice, soupira-t-il. Mais je n'ai aucune chance. Tout le monde l'adore ! »

▲ ▲ ▲

Pendant ce temps, Bertrand Bougon ne s'ennuyait plus, mais il avait du mal à gérer la prison. Le corridor devant la cellule de mademoiselle Charlotte débordait de chaises pliantes, de tables et de coussins. Il avait fallu que le chef Bougon organise un horaire de visite et, si ça continuait, il allait devoir vendre des billets.

Les gens venaient parce qu'ils ne pouvaient plus se passer de leur factrice, de son sourire, de ses histoires... et de ses drôles de biscuits. Le chef – et unique membre! – du service de police de Saint-Machinchouin permettait donc à sa prisonnière de quitter sa cellule pendant quelques heures tous les jours. Elle s'installait dans la cuisinette à côté du bureau du chef pour préparer ses fameux biscuits en forme de coccinelles mauves, de lunes bleues, de petits cailloux vert fluo...

Bertrand Bougon se surprenait parfois à rêver que la nouvelle factrice déménage pour toujours en prison. Elle avait encore sept cent soixante-douze heures à y passer. Mais après ?

Le chef Bougon eut alors une idée parfaitement insensée. Une idée tout à fait merveilleuse. Une vraie idée à la Charlotte ! « Et si je transformais la prison en café-rencontre... ».

Il eut, bien sûr, immédiatement honte de sa propre suggestion. Pourtant...

Un son horrible arracha soudain le chef policier à ses rêveries. Les heures de visite étaient terminées et, pour se distraire, mademoiselle Charlotte s'était mise à chanter !

▲   ▲   ▲

La prisonnière ne chantait plus maintenant. Le regard vague, le cœur mou, elle contemplait, par delà les barreaux de sa fenêtre, le vaste champ de betteraves derrière la prison.

Ce jour-là, Timothée lui avait apporté un gâteau à la mousse d'orange. Mais il n'était pas venu seul. Timothée était accompagné de Bécassine Becsec.

Une Bécassine métamorphosée ! Drôle, gentille, radieuse même. Et terriblement amoureuse de Timothée avec qui elle échangeait des sourires, des clins d'œil, des regards entendus.

Au début, la nouvelle factrice avait cru que Timothée n'y prêtait pas attention. Mais, au bout d'un moment, elle avait dû admettre qu'il n'était pas insensible à la présence de sa voisine. Il riait de ses blagues et l'enveloppait parfois d'un regard presque tendre.

—C'est pour ça qu'il n'a pas répondu à ma lettre ! dit-elle soudain à haute voix.

— Quoi ? demanda Léonie, surprise.

La jeune amie de mademoiselle Charlotte avait obtenu l'extraordinaire — et très secrète — autorisation de visiter la prisonnière à n'importe quelle heure du jour. Elle lisait tranquillement dans un coin lorsque mademoiselle Charlotte l'avait distraite.

— Il ne m'aime pas. Il aime sa voisine, je crois.

Léonie s'approcha doucement et caressa le dos de mademoiselle Charlotte. Elle aussi avait remarqué la toute nouvelle complicité entre Bécassine et Timothée.

-14-

De grandes décisions

En entrant dans son splendide salon, Maximilienne D'Amour, la rédactrice en chef du prestigieux magazine *Coup de cœur*, fut surprise de voir le journal du matin ouvert sur la table. D'habitude, Josette, sa femme de ménage, rangeait tout parfaitement.

Maximilienne s'approcha, lut le texte encadré en page B4 et poussa un cri tellement strident que Josette accourut immédiatement.

—Madame a-t-elle besoin de moi?

—Une lettre de Simon dans le journal! Une lettre de Simon!

Une lettre de Simon ! répétait Maximilienne D'Amour.

Elle sauta à pieds joints, battit des mains et monta même debout sur la table de la salle à manger en hurlant : « YABADABADOU-OUOU !!! »

— Madame a-t-elle besoin de moi ? répéta Josette, l'œil espiègle.

— Oui ! Oui ! Aidez-moi à préparer mes valises. Et téléphonez à monsieur Maclean, le grand patron des magazines, pour lui annoncer que je prends congé immédiatement... et pour toujours !

▲ ▲ ▲

Charles Chafouin déposa ses valises et referma la porte de son appartement au trente-sixième étage. Ce dernier voyage l'avait épuisé. Sept jours à Honolulu, quatre à Tokyo et deux à Singapour. Il avait décroché des contrats fabuleux, mais son moral était à plat.

Des dizaines et des dizaines de lettres étaient empilées sur le secrétaire dans l'entrée. Charles Chafouin accrocha la pyramide en passant et les enveloppes s'éparpillèrent sur le plancher. Il remarqua alors l'enveloppe mauve fluo qui avait atterri sur son pied.

Charles Chafouin se pencha. Une brusque excitation s'était emparée de lui. Il décacheta l'enveloppe avec tellement d'empressement qu'il la réduisit en petits morceaux. Et enfin, il lut.

La lettre de Léonie. Les phrases de Léonie. Des bouquets de mots tout simples, tout frais, tout vrais. Qui allaient droit au cœur.

Je t'aime, papa. Je m'ennuie de toi. J'ai des tas de choses importantes à te dire. Mais au téléphone, ça ne marche pas. Je n'y arrive pas. Je sais que ton

travail est important. Et que ton patron,
monsieur Macintosh, est très exigeant.
Mais si tu savais comme je m'ennuie de
toi...

Les mains du père de Léonie tremblaient en repliant la lettre. Il resta immobile un moment, puis il s'empara de son téléphone cellulaire.

— Monsieur Macintosh? Ici Charles Chafouin. J'ai besoin de votre avion privé. Non... Ce n'est pas pour aller négocier un contrat. Si c'est important? Extrêmement! Je veux voir ma fille. Tout de suite!

Il y eut un long silence. Puis, le père de Léonie explosa :

— Des enfantillages? Vous appelez ça des enfantillages? D'accord! Alors, je démissionne. À compter de... tout de suite.

Charles Chafouin allait raccrocher lorsque monsieur Macintosh, affolé à l'idée de perdre son meilleur directeur, lui annonça qu'un chauffeur irait le prendre dans les trois minutes pour le conduire à l'aéroport.

▲ ▲ ▲

Bécassine s'éveilla en sursaut. Quel cauchemar! Elle avait rêvé que Timothée découvrait la vérité. Et qu'il la détestait. C'était un rêve horrible. Épouvantable!

De jour en jour, Bécassine aimait Timothée davantage. Et de jour en jour, elle avait l'impression qu'il avait un peu plus d'affection pour elle. Pourtant, Bécassine n'était pas heureuse.

Elle avait réellement changé. Au contact de Timothée, son agressivité avait fondu, sa colère disparu. Et, peu à peu, elle avait eu honte d'avoir triché, honte aussi d'être responsable de l'emprisonnement de la nouvelle factrice.

Bécassine inspira profondément pour se donner du courage. Puis, elle se dirigea vers la cuisine, ouvrit le pot de biscuits dans lequel elle cachait tout son argent et compta trois cent trente-trois dollars et trente-trois sous.

-15-

Gertrude s'ennuie!

Bertrand Bougon avait déménagé sa télévision dans la cellule de mademoiselle Charlotte et ils regardaient ensemble le bulletin de nouvelles. Le chef policier avait remarqué que son amie était d'humeur rêveuse. Elle n'écoutait que distraitement. Jusqu'à ce fameux reportage...

C'était un truc étrange à propos d'une bibliothèque et d'une école où les enfants parlaient... à des objets : des roches, des broches, des lacets, des brosses à dents, des gommes à effacer ! À la fin du reportage, la caméra s'était arrêtée sur une petite fille, Marie, qui caressait un caillou dans sa main.

—Gertrude s'ennuie de vous, mademoiselle Charlotte. Et nous aussi! avait déclaré la fillette en fixant bravement la caméra.

Cette séquence n'était sans doute pas prévue, car le reportage prit fin brusquement. Bertrand Bougon n'en revenait pas. Parler à des objets! À un caillou! C'était royalement nul. Parfaitement insignifiant. Il allait le dire mais s'arrêta devant l'expression profondément émue de mademoiselle Charlotte.

À croire qu'elle-même serait assez toquée pour parler à une roche!

▲ ▲ ▲

La prisonnière n'avait pas fermé l'œil de la nuit. Chaque seconde de ce reportage télévisé était restée gravée dans son cœur. Elle avait beaucoup réfléchi. Elle savait, maintenant, ce qu'elle devait et voulait faire. Mais quelque chose la retenait.

Or, aux premières lueurs du matin, l'événement qu'elle espérait tant se produisit enfin. Et dans le champ de betteraves, juste derrière les barreaux de sa cellule, en plus !

Deux avions atterrirent à quelques minutes d'intervalle. Un grand monsieur qui avait l'air drôlement important descendit promptement du premier, courut à toutes jambes vers une petite fille que mademoiselle Charlotte connaissait bien et la fit longtemps tournoyer dans ses bras.

Peu après, une jolie dame d'âge mûr et très distinguée dégringola l'escalier du second avion. Elle faillit glisser et se blesser, mais un vieux gribou l'attrapa juste à temps et la serra très fort dans ses bras.

—Bon ! C'est réglé ! se réjouit mademoiselle Charlotte. À mon tour maintenant.

Bertrand Bougon arriva au poste de police à huit heures cinquante-cinq, comme tous les matins, avec du café et des beignets pour lui et sa prisonnière. À sa grande surprise, trois personnes l'attendaient devant la porte. Et les trois voulaient payer l'amende de trois cent trente-trois dollars et trente-trois sous pour libérer mademoiselle Charlotte!

Le chef policier sentit son cœur se serrer.

— Mais elle n'en a plus que pour quatre cent quarante-quatre heures, plaida-t-il.

Simon Cinglé, Charles Chafouin et Bécassine Becsec se mirent alors à parler en même temps en brandissant leur enveloppe pleine de dollars.

— Je ne peux quand même pas accepter TROIS paiements, grommela Bertrand Bougon. Et qu'est-ce qui vous dit qu'elle VEUT sortir?

Il déverrouilla la porte du poste de police et fila droit vers les cellules, suivi de ses trois visiteurs.

La petite troupe s'immobilisa bientôt devant la cellule de mademoiselle Charlotte. Ils ouvrirent tous la bouche en même temps, mais aucun son n'en sortit.

La cellule était vide!

Épilogue

En fait, la cellule était *presque* vide. L'étrange factrice y avait laissé plusieurs lettres.

Il y en avait une pour Léonie, une pour Timothée, une encore pour Simon Cinglé et une autre pour Bertrand Bougon. Même Bécassine Becsec avait son enveloppe.

Mademoiselle Charlotte avait écrit chacune de ces lettres en y mettant tout son cœur, toute son ardeur. Elle avait soigneusement choisi chaque mot et construit patiemment chaque phrase afin de bien exprimer ses réflexions, ses souhaits, son émotion...

Il y eut des pleurs, des rires, des soupirs, des frissons. De longs silences aussi.

Léonie et Timothée relurent plusieurs fois leur lettre. Le départ de

mademoiselle Charlotte les chagri-
nait, mais ce qu'elle leur avait confié
les réconciliait avec la vie.

Dans sa lettre à Léonie, mademoiselle Charlotte avait ajouté une
note sous sa signature :

Il fallait que je parte. Une nouvelle
mission m'attend. C'est merveilleux!
Mais avant, je dois retrouver Gertrude.
J'ai été séparée d'elle beaucoup trop long-
temps. Je pars confiante et le cœur léger.
Un jour, je reviendrai...

MEMBRE DE SCABRINI MEDIA

Québec, Canada
2004